国家出版基金项目
NATIONAL PUBLICATION FOUNDATION

《三联经典文库》

第二辑

2012 年国家出版基金项目

三联经典文库

117

鲁闽风云

徐盈　等著

生活·讀書·新知 三联书店

图书在版编目(CIP)数据

鲁闽风云 / 徐盈等著. -- 北京 : 生活·读书·新知三联书店, 2014.1
（三联经典文库第二辑）
ISBN 978-7-108-04649-9

Ⅰ. ①鲁… Ⅱ. ①徐… Ⅲ. ①通讯－作品集－中国－当代 Ⅳ. ①I253

中国版本图书馆CIP数据核字(2013)第246546号

117 鲁闽风云

责任编辑 龚黔兰
封扉设计 蔡立国
责任印制 徐 方
出版发行 生活·讀書·新知 三联书店
(北京市东城区美术馆东街22号)
邮 编 100010
经 销 新华书店
印 刷 北京市松源印刷有限公司
版 次 2014年1月北京第1版 2014年1月北京第1次印刷
开 本 787毫米×1092毫米 1/32 印张 3.625
字 数 47千字
定 价 14.00元

《三联经典文库》出版缘起

适逢生活·读书·新知三联书店八十华诞，为弘扬传统，接续文脉，回报读者，服务社会，我们决定策划出版《三联经典文库》。

1932年7月，生活书店在上海创办，此后，读书出版社和新知书店相继成立。本文库第一辑、第二辑所选图书，来自于这三家出版单位及其分支机构，以及1948年生活·读书·新知三联书店成立后的出版物，始于1932年，截至1951年，两辑各一百种。此为第二辑，涉及政治、经济、社会、军事、思想文化诸领域，涵盖专著、文集、散文、小说、诗歌、传记、报道等体裁，既有直面现实、追求真理、讴歌真善美、抨击假恶丑的原创作品，又有引介世界各国先进文化、传播新知、开启民智的迻译之作，真实记录了那一代知识分子的思考与探索、理想与愿景和对中华民族文化传承与创新所做出的努力与贡献。

本文库所辑入各书，多为名家名作，在版本方面，以初版一印本或经著译编者审定、修订、增订过的版本为首选，因此本文库又具有较为珍贵的版本价值和收藏价值。

本文库还将编选续辑，使之成为恢弘文化工程。诚挚希望读者给予批评和指正，帮助我们完善编选工作，再现三联经典作品之风采。殊为遗憾的是，由于年代久远，一些原著译编者及其后人未能取得联系并奉付稿酬，诚盼版权所有者与我们联系。祈愿三联前辈所创造的精神财富能薪火相传，为中华文化的伟大复兴增光添彩。

《三联经典文库》编辑委员会

2013 年 8 月

凡　　例

一、本文库为重排本，由繁体字竖排版改为简体字横排版。

一、以忠实于原作、整旧如旧为编辑原则，对当时使用的专有名词、外文译名，以及民国时期的语言和特色予以保留。

一、原书注释如旧，编者所出的注释，均以“编者注”标明，以示与原书注释的区别。

一、对原书残缺或字迹漫漶之处，以□示代。

一、对繁简文本转换时的“如右”、“见左”一类，对应改为“如上（前）”、“见下（后）”。

一、对原书中各种错讹脱衍之处，直接订正，不再以其他符号标示。

一、对数字、标点符号的用法，在不损害原文语义的情况下，做必要的规范。

一、本文库各书均前插原书书影、原书版权页和文库版“本书出版说明”。

一、本书出版说明的撰写，以客观中立为原则，扼要介绍本书的内容、版本流转、著译编者的情况。

本书出版说明

本书是有关抗日战争时期中国鲁闽地区军民抗战生活的纪实性读本。由《今日的山东》、《鲁东风云》、《三个月来的济南》、《金门惨象》、《陷落时的金门》、《金门沦陷的前因后果》六篇文章组成，再现了当年鲁闽一带的风云境况，昭示了“不知自家所长便会失去自信，不承认自家所短便要吃死亏”的道理。这个道理适用于你死我活的抗日战争年代，也适用于进步与发展的当今和平年代。

本书由生活书店 1938 年 3 月初版，此次出版即以此为底本。

作者徐盈（1912-1996），原名绪桓，山东德州人。1938 年加入中国共产党。曾任上海《大公报》记者、重庆《大公报》采访部主任。采写了《朱德将军在前线》、《战地总动员》等新闻报道。1949年后，历任天津《进步日报》编委、主笔，国务院宗教事务管理局副局长。后曾担任全国政协文史委员会副主任，主持出版了四期《工商经济丛刊》，为后代留下大量有价值的近现代中国工商经济史料。是第六届、第七届全国政协委员。著有小说集《战时边疆故事》、《苹果山》，专著《抗战中的西北》、《烽火十城》、《当代中国实业人物志》，小说《前后方》，回忆录《北平围城两月记》等。

生活·读书·新知三联书店

2013年8月

生活书店 1938 年 3 月初版书影

"抗戰中的中國"叢刊

魯閩風雲

每冊實價國幣貳角
外埠酌加寄費

著者 徐盈等
主編者 長江
發行者 生活書店
上海福州路
漢口交通路
分店
廣州 長沙 西安 梧州 重慶 桂林 成都 貴陽 蘭州 昆明

中華民國二十七年三月初版(漢)

原书版权页

目次

今日的山东

徐　盈

一　从济南说起

成为山东省的动脉中心的济南市上，有一件最刺目的奇异现象，便是各马路中心，各机关门口，若许林立着的标准时刻钟都在停摆中，找不出一个在动。这现象，无疑地，顿时给人一种不愉快的感觉，因为，这里人们生活着正苦太静。

今日的山东，已经由国防第一线而变为最前线了，这时是不应当有过分的沉闷的。如果山东确是一具停摆的大钟，但其中的机轮实在毫无损坏。山东大汉为中国在历史上创造了多少坚实的故事。近百年来又身受到日本的铁蹄多次的践踏，谈起抗日来没有不是壮志凌云，一个个地既有血又有汗，自从济南华北新闻社扩大募捐以来，响应的踊跃，使国币数字并不弱于其他各省。无论从任何方面看起来，只要有动力，这都是一批最精良的血清。

“为什么全国各地都在怒燃着烽火，而单独山东竟没有一点血腥？”全国的人士都曾这样奇怪地思索着。这个沉闷直到九月二十一日上午九时许，在万里无云的天幕上，抛下来两颗小型爆炸弹，才扫清了不少人间“浓得化不开”的疑团。先是抗日后援会改为抗敌后援会了，张自忠后来又有使命地来到山东了，三日前敌机还投下急递的通信筒，而当局依然不时地出来，安然地在私访……多谢这两颗万金难买的炸弹，使山东并不例外的也有了血腥——

中国是一致的！

这以后，山东境内的津浦线上是不断地遭受了敌机的投弹，特别是滋阳县（归兖州府）车站上，记者眼看着机务段的三间房屋化为灰烬，车站前的坡道上，为二百磅的炸弹炸成水塘大小的深坑，民众渐渐地对于飞机习惯了，伏在城墙根下，眼送它们来和去。

敌机的轰炸的另一效果是促起各界民众领袖的觉醒。各地的地方新闻纸的言论栏里，异口同声地指摘这太平静的后方，以及这不合理的镇静。记者到鲁境各乡村去旅行，所见闻的都是众志成城，希望“这种战争千万别打短了”，在抗日的前提下，民众已经有了自然的组织，他们多半能够代替地方当局捉捕和严防汉奸。可是因为受到了种种的限制，虽然有着良好的情绪，但却没有适应着有一点完善的组织。

济宁西乡一位三家村的老夫子痛论中日战争，他有两句很警醒的话，是："覆巢之下，焉有完卵。"我们希望从济南中心发动起，在加紧的组织起来之后，坚实的齿轮在有组织的秩序下才能发挥他的威力！

二　山东农村漫游

记者自流亡到烟台后，即开始在山东境内漫游。黄土大平原上的山东，是据有重叠的峰峦，成为黄土丘陵地带。东部有半岛突出，呼应着中岳的泰山山脉，配比着西南境的淤塞了的运河，和一串原生动物型的多伸缩内湖，北部则有泛滥的黄河。农村经济情形是东北优于西南，只有很少时候是例外。

山东本是能够自给的省份，只因人口过密，鼓励着乡人年年向四方移民开拓。这一点上，山东人恰好和广东人相当，在日本、朝鲜、我们的东北以至西伯利亚，欧战时候还有大批壮丁运到西欧作战地工役，这些地方山东人是占很大一个数目。此外，各处的招兵，山东也是一个最先光顾到的省份。

自然的环境将山东人训练得艰苦耐劳、有勇气，因为山东的土地经营已经到了最集约的程度，而生产力也增加到无以复加。水旱的交叠和肥料的缺乏，都给人以“忍耐和抗争”的本能；为了还要生活下去，山东人的抵抗力似乎确有出人头地的地方。而同时，农民的性格，如自私、孤陋、简单也依然都存在着，特别是教育程度更低。在烟台时候，一些朋友便曾和我谈到，山东人太好了，可是也很容易帮助敌人，因为他们为了小利，若忠于“小我”则忘了“大我”。自然，这是一个不希望实现的预言，而大部分人的耿直忠爽，只有使人敬佩。

本月中旬，记者到邹平，正赶上当地举行欢送壮丁应征进省大会。这一县的壮丁是特别踊跃地应征，立刻就超过预期的数目，当地方当局讲过了一套堂皇的官话之后，有一个坚实的青年汉子登台致答辞，他的赤红脸膛，坚实的肌肉，和蓝布短衫都表示出一种力量，他斩钉截铁地说着：“我们早已等着打日本，等到这么许多年，现在可等到了，我敢对诸位说这句话，打胜了，我们有脸回来见诸位，打败了，我们绝不盼望诸位来收我们的尸！”这虽然是几句最简单的话，可是从朴质的农民口中说出来，鼓掌如雷的声中，顿时给人以伟大崇高的印象。

在那民气稍为低一点的地方，也不时有人在呼唤。黄河今年又闹水，一条小河玉符河的水泄下来，竟然淹了胶济路，包围了济南府。记者从邹平回来以后，便转到黄河岸上看水，一片汪洋中，连屋顶也不能看见，泺口一岸完全浸在水里，自然，这里人民身遭大难，抗日情绪比较低些，但是大桥旁守铁桥的士兵向灾民宣传说道：“我在四川近十年，年年打仗，军队在两边打，老百姓就在中间作田，问他们，你不骇怕吗？他们说：骇怕就能不吃饭吗？这点小水退了，你们就得回去种麦，种麦有了军粮，种麦也就是你们打日本……”

说起种麦来，山东今年已奉令扩大麦田。本来山东的作物多已商品化了，多少年来，为了价格的优越，已经从种子作物慢慢改种了棉花、烟草和花生。这种趋势是使中国加速的走向殖民地化的路，我们正好借着抗战时期，对于我们倾向不良的农业生产有一次良好的调整，商品作物不是不需要，而是要为了自己，不为别人。看了山东已在向这方面走，这是值得欣喜的一件事。

三　乡村工作者

直到最近，虽然战时农村问题的严重性毫未减少，但高喊农村复兴运动的高潮，显然已属过去，多少官办和私设团体像澎湃过后的浪花，星星点点地消灭了。坚实一些的组织已都有了集体合作的新趋势。在其中，应当提出的有“定县主义”的平民教育家和邹平的村治运动者，而后者虽然是从河南开端，但基础实是建筑在山东省境里。

记者到了山东后，便去村治学者的实验地邹平和济宁来观光；前者第六个年头已然开始，而后者也有了近一载的历史，为了要认识山东乡村建设的现阶段，以及梁漱溟先生的理论实现的程度，不能不在两地都逗留了一个相当的时间，在这里，属于理论和实践的乡村工作者，坦白地和记者倾谈着许多珍贵的经验。

邹平是黄河口下的一个小县，小清河水缓缓地绕过北境。西南是适于果树的冈峦，东北部则是宜棉的沙地。纯北方风味的村落，土墙外围是零落的祖坟。因为环境缺乏卫生，死亡率很大，人口密度尚不嫌过高。这个黄土地带上，土地分配是稀有的平均，勤俭而忠直的自耕农要占全人口的百分之九十以上。山东的乡建运动者便在这样一个毫无疵症的地表上，“一切都不成问题”，使用着政治和教育的力量来实现着一个理想。

进邹平城，首先便可看到当铺改造了的乡村建设研究院。当我在城门洞内看由无线电收来的壁报时，这条大街上，出出进进的都是研究院的工作者。自然，邹平是太小了，而研究院带来的人口的确很有一个数目。一位负责人对我说：“我们年费不过十一万，比起定县的三十万来差得还是很远，可是我们的工作一点也不少。”不过，一个三等县份，年年能够吃到这剂非凡补品，也正非其他县份所想希企的。

村治学派的乡村建设工作者都感染着梁漱溟先生的刻苦精神，他们，风雨奔波，拿着最少的金钱，做着最艰辛的工作。尤其是本院的学生，还要把菲薄的薪水打个七扣。给当地民众印象最深的是杨老师（杨效春氏），他的确能和农民打成一片，可是现在已经离开了。据说，自从近年前，梁先生到别处讲学，和几位开创的导师离开以后，整个的精神已然不如从前，除了一些固定在乡村中的工作人员以外，“老师们”已经很少下乡，特别是新到的知识分子，更没有深入下层的决意；也许近来乡建的工作是转到研究理论上，但是这点隔膜如果是实在，也亟应设法去纠正。

社会上对于山东乡建加以注意，大半是因为梁漱溟先生的理论。目下，梁氏无疑是一位思想家，他有一套能想得“通”的乡建理想。他从虚无到积极，有一个极清晰的路线，老实讲起来，我们的学者中渊博如梁先生者并没有几个，特别是他为人的和蔼、宽大、持身的谨严、执论的坚决和对于论敌的严厉，纯然是学者风度。但在事业上，梁氏却表现出过分的温和，无主见，对于工作的推动无整个办法。譬如生活教育社的潘一尘氏，因为没有分配到适宜的工作，终于离开了他所希望工作的地方。因此有人便咨嗟，山东的乡村工作虽有政治的力量和六年的历史，但仍不能扩大到理想的境地，完全是在于梁先生是一位学者。这种说法，不是几个人的私见，而是熟悉和关心梁先生的人们的一点公论。

另一方面，前山东乡建学院院长现任济宁第一区行政专员梁仲华氏则恰好与梁漱溟氏相反。梁氏身为省府顾问，且有巡视其他行政区的权力，在该区的专员公署内，存在着华北五个名大学所设立的华北乡村建设协会，年费四十余万元从事于乡建的研究与改造，特别是这个协会的实际负责人张鸿钧氏同时兼任着梁氏的秘书长。他们欢迎梁漱溟氏来讲学，可是对于梁氏的理论是取批评的态度，他们的乡村改进组织和办法也与邹平的办法有所不同。鲁西一带本是一个多变乱的地方，因为乡村有了组织，虽然今年又遭了大水，依然没有混乱发生，这不能不归功于组织发生了效力。

在山东，要了解乡村工作的理论与实际，对于这两位支柱，实在不能不预行介绍，因为省境内各地的工作者多半都是他们直接和间接的学生们。

四　所谓“小衙门”

大车在泥泞的大路上激起了不少污浊的浪花，我在动摇着的车围里，遥望着华北平原上类似的村落和作物，此地和彼地，外形上很少有什么差异。忽然想起丹麦的哈斯略国民高等学校校长对日本教育参观团所说的话，他说：“诸君远从日本来，花了许多金钱与宝贵的时间来作丹麦教育的考察，但若没读过圣经的人，无论如何也不了解基督教教育化的农村，你所了解的，无非皮毛而已。”这句话颇富于警意。

山东乡村建设工作者用来组织民众的办法是乡学与村学，有的地方也称为乡农学校与村农学校。梁漱溟先生从民十一年后悟到了中国不能用政党竞选，三权对立的办法，便提出了东方的伦理本位来，所以他说：“我们村学乡学，一切不从法律说话，而从伦理情谊出发，所有的粗硬办法，在中国社会皆不能用。”

所谓“乡学”、“村学”，粗看起来是教育机关，而实际却是行政机关，乡学管辖着村学，又直属于实验县政府，代替了昔日的区公所。乡、村学都是教育而又兼政治的组织，每乡都有一位“年高有德”的学长，和一位“年轻干练”的理事，以及几位学校教员。村学也是一样。梁漱溟氏之所以要这样设计，是因为他看见定县的失败，由于不能获得老年人的同情，而且青年干部也总和当地的士绅对立起来，所以邹平便在本地学董会中选出一位老人，是为敬老用而不让他作事的“学长”，和一位县政府派来的受过训练的青年“理事”。这种办法直到最近在各处仍然不为民众所了解，人们都忽略了他的教育性质而简直称之为“小衙门”。

乡村中的工作实在应以农民能了解为第一义，共产党在江西的宣传成功，就是由于他们每一句口号都能抓着一件具体的事实。而邹平，六年来的宣传仍然不能使农民认清“研究院”与“实验县”的分别，新的组织和旧的组织有什么不同，要算是一件很难解说的事。

虽然，因为有了这点组织，自上而下的命令的发布和施行是较过去便利多了。政府和地方都是师生，自然作起来比过去为彻底，这点效果在各处，显然地能够看见了它的确执行了“小衙门”的工作。

在济宁，因地方环境不同，作法也就不大相似。鲁西一带，济宁第一行政专员区，菏泽第二区，聊城第三区，都是在湖地底部或边沿，去年济宁被水包围了，今年聊城又被水围了。只要在这一带地方上走路，随处都可看到秋风送来杀气，堤埂上一串串的男子汉推着独轮车，上面装着两床芦席，一团破被，全套的锅碗和涂着泥脸的小孩子。女人们怀里乳着幼儿，一同向北部流亡。

济宁方面代替区公所的组织称为“乡农学校”，再下层的有“村农学校”，每个组织里的主要人物有五个，是校长、教育主任、自卫主任、生计主任和事务员，这种组织比较邹平进步一些的是各有切实的职责，一点也不是空想。譬如管自卫的那位主任，便是全境治安的负责人，特别是在铁路线上的人“即便砍倒一根电杆也要唯该主任是问”。

他们训练民众与其他的地方相反的，便是用着政治力量先从最殷实的农户训练起：“你不练着保卫你自己，谁还来保护你？”自卫训练已到第七次了，这时是正在训练着二十五亩至三十亩中间的农民。他们的户籍调查都很清楚，特别是邹平更有成绩。土地呈报有的已作完，有的正在整理，都是花了最少数的金钱成功的。

如果现在的乡村官吏都有这种精神自然是难能可贵，可是有着“改造中国政治”决心的服务员在优越的环境里只作到这一步，也并非是“奇迹”。乡村工作者在“小衙门”里面住着有的已在起了烦闷，他们在恨这样太慢，自然，越是使用教育力量越是现不出成绩，可是，这环境是不是允许我们民众在慢慢地“潜化”？抗日战争顿然使民众激昂起来，也是使大家认为不曾有过的奇迹。

在乡村里，陆续地选择了几个“小衙门”来参观后，记者觉得，虽然邹平那样的乡学和村学是合于梁漱溟先生的理想，但在事实上，实在不如济宁的乡农学校更有用些。在目下，有组织的地方便优于无组织的地方，对于山东乡村工作者的辛劳，还是要致最大的敬意。

五　迈进吧，山东！

从沧州回来，客车后挂着伤兵车，同车的有了二十九军的压车军官，对记者谈着前方民众的漫无组织和汉奸的众多，“我们方才退出村，回头望望那里已经插上了敌人的旗子，敌人绝对不会有这么快的行军，谁替他们做的，无疑的只有我们的汉奸！”

有个轻伤的弟兄，长长的绷带系着一只伤手，他叹息：“汉奸杀不尽”，就是用他那只最近受伤的手就曾砍过一打的人头。“可是我们的老百姓也不是没有好的，前方一片大水，我们没了命，他们也就没了家！我们帮助他们，他们帮助我们直走了这一路！”

自从全面的抗战发生以后，汉奸的活跃立即成为军事上的一个很严重的问题。上海抗战中的某军官甚至这样对慰劳的人们说：你们能使后方民众组织起来，实在比慰劳品更为需要，可是，我们的民众组织，直到现在终未能够有良好的进展。于是有人便愤然道：我们一面天天在憎恨汉奸，但是一面却天天制造预备汉奸军！

今日的山东，将成为抗日第一线，一切无组织的遗憾实应当在这里纠正，当地的乡建团体，这是一件卸不脱的责任！

对于山东境内的“乡建团体”的批评，各方面的观点很不一致。某一方面甚至愤慨到这样说：“山东的政治好不好是另一问题，但无论如何政令是统一的，而今是连这点都没有了。”有人便认为这是指行政专员直属省府而言。还有些便是在指摘着各区的农业产品的优越，都是因为使用着非农家所能胜任的技术。……自然，说这些话不是没有缘故的，可是，整个的乡村工作所以能够支持到现在，唯一的原因却是由于韩主席的坚决。

近年来，梁漱溟氏的理论，时时都为各方面所批评和责难。梁氏过分注意于“人”，尤其是致最大的寄托于知识分子，可是历史的嬗延，使动摇的知识分子实在难掮起这使命。梁氏无处不在迁就民众，可是邹平农民们至今总还以为乡建团体是吃他们的捐税而过活的一群。今年梁氏应聘到四川讲学之后便受到不少川中“学人”的“信口批评与责难”，当时梁氏沉痛地说“望诸位求各自的诚恳，自己的忠诚是望别人忠诚的前提，对于旁人的意思不妄批评，理解方是根本……不要对别人的话不研究……”（见《乡建周刊》）如今问题是这样切迫，组织是这样的为全国所渴望，梁漱溟先生似乎也应当对于别人批评邹平的话再研究一下，为了领导与促进全省的民众组织的加强，为了目前的使命，山东实在应当迈进了。

老实说：山东的乡建团体虽然有着种种值得考虑的问题，可是这个团体的朴实与刻苦，当为国内乡村工作者的队伍中所不多见，特别是乡村研究院所训练的学生来自全省农村，毕业后也便实际地分布在全省。这在另一方面，虽然为人所诟病为“一个新系统”，可是，工作起来，也确有其便利和一致的地方。六年的乡村建设实验工作倘应有一点良好的表现，这次，便是试金石！

记者又曾访问过许多县份的行政最高长官，尤其是在作实验的县份，承他们告诉记者说平日就已注意民众的组织与训练，今后自然是要更行加紧。这话盼望不仅作为空谈用，而要有一点实际的表现。一路上，记者行经了许多村落，逗留过多少小店，始终未曾受到过严格的检查与盘问，不能不起了一些应有的怀疑。

面对着广大的农民群众，战时提高农民生产，也是一个值得讨论的问题。农业国家在战时，更得仰赖于自己的农产物。我们要有一个通盘计划，要划出一部分土地依归种植商品产物，为的是运输出去换了现金用来购买军火，此外，更要有大面积的土地种植谷类食粮，以供给军用。山东是靠近战区的地方，本来可种植许多商品作物，可惜是棉花乃是为了日本的购买而种，烟草是为英美烟草公司而种，一部分实验区的农民虽然因为改种这几种作物而增大了收入，可是主事者却还无暇考虑到它们的流毒！

这以后，山东的环境，只能允许当地种一些短时期收获的作物了。譬如杂粮和地瓜之类，尤其需要。山东省的农业工作者实在应当本着中央的意旨，而变更一下本省的农业政策。

还有，合作社在山东也有了相当的成绩。有的县份，为了商资的欠稳定，自己设立了县单位的合作金库，贷款的利息极低，这是好事情。可是，因为合作社的本身缺陷，没有“保证”的人们，还是得不到这份权利。鲁西的许多县份，因了年年闹大水，居民时常迁徙。这一带的合作指导员最痛苦，因为大半的穷苦民众都不能不被屏弃在合作社以外。有位指导员对记者说：“他们跑了，如果贷了款，谁负责来赔呢？”目下战争时期，如果各合作社为了这问题而根本解散，就更成问题了。农村金融的苦涩，会影响整个的推进。

自从东北失陷起，山东便失去了入款的半个财源，到今年，沿海的各埠又聚集了数不清的归国侨胞；同时，炮火的声音又一天天地逼近了，山东的问题，一天要比一天复杂起来了。

在国防第一线上，我们只有企望着——迈进吧，山东！

鲁东风云

列　岛

一　龙口凄凉

听说潍县这几天飞机不断地去侦察。假定敌人要从山东半岛夹击，龙口是一个颇吃紧的港口。我从晏城回来，急于要完成胶东环海巡行计划，便马上到几个熟朋友家里去打听消息。东去这条路有两个走法，一个是坐胶济车直达青岛，由青岛经过即墨、海阳、文登到威海卫，折而西转牟平、烟台。另一个走法是由潍县经昌邑、掖县，达龙口、东蓬莱，以至芝罘山。

一个朋友告诉我潍县恐不能走，那里没有长途客车，前天他的秘书从龙口雇的骡轿走到潍县，走了五天。但是城阳、即墨的环海汽车，也说不定每天都有。于是决定走潍县。

胶济车走的非常顺利，不但没有空袭的威胁，行车的时间，还能照旧。车厢里我对面坐的一位到青岛去的商人，他告诉我，前天天津的广播电台，报告日本飞机决不轰炸胶济路，因为胶济路上的山东人对他们的感情太好，请胶济路上的居民放心。我问为什么山东人会跟日本人有这样的好感情。他笑了笑说，大概怕中国人毁他们的大纱厂罢。

今年北方雨水过大，玉符河一股水几乎把济南淹了半边。津浦北段的战区，差不多整天整天下雨，十一日那天我过黄河，仍是一片汪洋，找不出走的道路。这几天烟潍道上雨又来了，我乘的那部车子活像一只老水牛，不断的呜呜地响，在泥水里，东歪西歪的爬来爬去。十五日到龙口，下车以后，跑了一点多钟，竟找不到一家旅馆。好容易在海边找到一家，还是半开门不作生意的，而旅客只有我一个人。从早上五点钟起来坐牛车到向午还没吃东西，店伙叫我到街里去，因为沿海一带现在是买不到吃的东西的。

海崖到街里，要有二里多路，我不熟悉路径，更不知卖饭的在哪里，而路上碰到一个行人，却又是难于上青天。迎着风，冒着小雨，好容易找着一部黄包车，他拉了我一家饭馆子去。据说现在开张的只此一家。

伙计把我让到一个单间的饭座里，这里只有一张没上油漆的白木桌子，四条板凳。墙上的陈挂，只是花井洋行输出入商一个月份牌，上边印的一条灰色兵舰，挂着日本海军旗，别无他物。

一碗青水煮面加上五条没有鸡味的鸡丝、一个烧饼、一碟炒猪肚子、烂猪肉、几条筷子粗细的海参，算了我八角大洋。我问他为什么这样贵，他说鸡、海参都是贵的。

龙口是山东的一个三等商港，出口的大宗货是粉干，入口货是邻近各县一些消费必需品，此外一些往来客商，“九·一八”后，大连、安东、营口一带限制南岸商人进口，南岸海关也限制关东货，龙口的买卖人，便干了一半。上海战事发生以后，便不断地有日本兵舰在龙口海面巡弋，商船更不能通行。龙口的买卖人都是蹲在龙口吃船，船没有了，大家都“停手”，于是龙口人少了一批。听说前几天桑岛附近的南岸软滩，有一条日本兵舰要试验着靠岸，搁了浅，龙口人少了一批。加上这几天不断的日本飞机飞来飞去，昨天还有两架，在龙口上空低飞，低得像电线杆子一般高，盘旋了二十分钟，龙口观望的居民也不得不逃了。车夫拉我找了四处朋友，都碰了钉子不在龙口。而一些船行，代理店的学徒，却自由的关上大门，叉上四圈麻将。夜里轮流着出去听戏。

车夫跑坏了鞋子，要求我回家换一双，再拉我回到旅馆。他的住家是在街市的极东一条街道上，那里有一些矮矮的小房子，也是他们洋车业的集市。街上放着十几辆车子，来来往往人很多，并且还有卖零吃的，炸豆腐挑子、胡涂（米汤的一种）挑子，我疑惑这不是龙口，为什么有这些人。一家小杂货店的门口，摆着一个大茶汤壶，汽管冒着热气，呜呜地响，我踏进店门口，屋里挤满了人，有的拌着花生一口一口抿着烧酒，而穿蓝号衣的（洋车夫号衣）要占一半。他们很客气的很惊讶地起来让我这样一个不速之客。

他们多半是鲁西人，我问他们为什么不走，他们的回答是没有盘川，即使有了盘川，回去更没办法。这些日子蹲在这里，虽然没有买卖，大家互相捣借着还可生活，桌角上那抿烧酒的，脑袋上剃去了一半头发，我认他是唱戏的，借着借火吸烟的机会，我与他攀谈起来。问一问龙口两三个戏园子为什么都有戏。

好角早走了，早不干了，剩下我们这一帮唱里子的，跑龙套打英雄的不干怎么办，就得扣锅，凑辐着开了锣，大家分几个窝窝头吃。

昨天三十个人，叫唤了半夜，敛不到两块钱。

他慨然地说着，用手紧捏着那把小洋铁壶。

回到我的旅店已有四点多钟，星星微雨以后，又下起雪豆子来了。我站在这个清冷的旅店门口，看不到一个行人。黄沙滩上，只有一条一条蜿蜒迂回的战沟，跟几只扣锅的舢板，疾劲的海风卷起一阵白浪，迷漫了混沌的天空。

二　东莱夜话

龙口凄凉，风雨的骤至，决定我不能久留。路上蹲了一夜小店，是一个淋雨的薄暮；我的两匹驴子，踏进了黄县城。

黄县城围子的垛口，破落了许多，城墙上堆着一包一包的沙袋。很多的三套骡子大车，拉着合拱的大树“咕喙”抢着进城，黄县城区没有山地，是一片黄膏土，车马的往来，把一条大道，弄得坎坷难行；上面的雨水，下面的泥湾，踏着一个车辙，便深陷到一尺。骡子在那里拼命的挣扎，车夫在那里拼命地吆喝，乱成一片。等我进到一条静巷又多耽搁了一点多钟。

我敲动了一家住宅的大门，这里是我多年不见的一位老世伯家里。一个莱阳口音的苦工，开开了门，说他老爷走了，出去了。这句话的语意不大清楚，我问他家老爷是不在黄县，还是不在家里。他又郑重地重复了一次：走了，出去了。弄得我没有办法，问一问他太太，少奶奶是不是在家。他砰的一声，关上了大门，似乎觉得我末句的说话，有点语含侮慢。

经不起我再度敲门，里面灯笼火把出来人了。有了太太的声音，仔仔细细问了我的籍贯，才始开了大门。老伯母笑着为莱阳伙计解释，他不认得我，并且看见我穿了一件蓝棉布大衣，摸不清我是干什么的。

老世伯不知从哪里也钻出来了，握着手向我道歉叙别，消损的面颊，四年多不见，又苍老了许多。

他们家是当地二百多年的封建财主。在他父亲那一辈子借着祖宗优厚的社会基础，结交名贵，干了几件出色事情，于是乎煊赫一时，名振胶东。他在这样一个黄金时代出了生，一天到晚是被一帮“孟尝食客”逢迎长大的。

他父亲因为结交名贵，所以家庭一切服饰食住，处处也要效法王公。骡子养得亮肥，颈鬃刷得笔直；出门的时候，大鞍响轮车，还要跟上四个长随。

他的父亲死了，管事的李大爷代替了父亲执掌家务。李大爷究竟不是父亲，结果不到二十年，他八十几座当铺动产，不动产，一件一件也像王爷府那样白送给人家。而李大爷却盖起大瓦房，开起大银号，独自生活去了。

老世伯很殷勤，赶快为我收拾出一间书房，叫我歇脚，因为蹲了几天小店，没有铺盖，雨湿风吹，嗓子有点痛。我再三叮咛，不要为我麻烦。晚上还从饭馆子叫了十个菜，他的用意，一方面是招待远客，另一方面还是不愿意叫朋友看出他不比往年。清秀的几个少年跟班，不知到哪里去了，却换了这个莱阳货端茶送酒。

这位老世伯前些年还在地方上出出头，继承父业当当绅士，有一年张宗昌来胶东，一位师长驻黄县，看上了他家的房舍，老世伯诚意的要交朋友，烟酒、人役供养了半年，临走的时候连他大厅上的大理石、硬木家具都搬到烟台，两块钱一把椅子卖掉，老世伯有点伤心。还有刘珍年时代派来的县长，捉他的大烟，很巧妙地敲了他上万块钱，还蹲了几次监牢。

我几乎不相信这是秋天，连那位莱阳伙计，那样坚实的身体，穿上棉衣，还要喊冷。饭后他捧出一盆炭火，给我烘烘湿衣，他们还用十八世纪那精致的煤油白铜灯，桌上摆着一些碑帖旧书。在这一间百老沉静的书斋中，找到我颠沛生活中刹那的安息。

胶东一带居民，多数是土炕，以备冬天烧柴草取暖，有许多屋子的构造，是外间有锅灶，内屋有土炕，土炕后边有“釜台”。炊饭烟火，经过土炕，以达釜台出口，暖而经济。今天这样冷天，我十分欢迎这种土炕。

晚上主人走了，老厨子来给我烧炕。老厨子也老了，他是这家二十年的一位忠实仆人。

明天你可以买点柿子，带走送人，太便宜了，一个铜子一枚。这里高粱籴八角钱一斗。

老厨子搜索枯肠，代替主人跟我谈话。我问他为什么这样贱，今年丰收？他说不是，头两月高粱还籴两块多一斗，就是钱紧，钱不够用的。

钱都到哪里去了？

都叫吃工夫（苦力）赚去了。

干什么？

挖坑。

一天两万多人，至少也有一万五六千人。挖了两个多月。早先大家不知道干什么都不去，工钱到过两块钱一天，这些日子落到八角，算算这有多少钱。木头、大车还不算，一个稀饭挑子，一天能卖三十多元。……钱庄上存两千元，支十块钱都费事。

两月以来，沿海的县份，差不多都有这种情形。胶东过去有个俗谚，是："金胶县，银潍县，有两个钱的是黄县。"有钱的黄县也这样闹起钱荒。前天在莱州避雨，大家曾经谈过这个问题，有些人为这个发愁。

山东半岛，在山东全省是顶富庶的区域，他们拥有四五个海商港口。他们更能向外发展，东三省、香港、上海、仁川、海州、平、津一带，都有他们的足迹。三十年中确实崛起了不少的富商大贾。民国十六七年，刘珍年等盘踞胶东的时候，各县的军事摊款，一县约六七万元，往往一家马上可以拿出，在这一家拿的时候，地方上人是请他借垫，借垫以后，执事的绅士们，愿意得罪他一家，不愿得罪大家，于是这笔垫款就成了永远借垫。第二批摊款来了，执事绅士们仍想运用这个方法解决这个问题，他们吃了一次亏，二次当然不干。执事绅士们跟进一步借着外力以相劫持，第一流富有阶级跑了。找到第二流，第二流的富有阶级跑了，于是波及到第三流。这第三流的没有方法跑，只有尽可能地把钱运到别处，近几年来，胶东空虚，固然还有其他的原因，这个也可以说是它的原因之一。游资逐步由农村逃避出来，逃到都市，都市急切不能使之参加生产，于是钱号吃饱了，银行吃饱了，却又有许多困难，吐不出去。而农村的农事的贷款，却要高到二分三分。

有钱的没有地，有地的没有钱，这是胶东近来普遍的情形。同时黄河流域自耕农多在胶东，一家拥有千八百亩地是极少数的，这次军兴，各县执事的绅士们又抓了瞎，他们明白知道，一流二流富有阶级是有钱的。第一动产不好调查，第二都不在家，乡间所剩下的只有几所大房子，卖是卖不了，搬又搬不动，仍得以大家土地亩数多寡，作分摊公费标准。听说一两银子，在蓬莱黄县一带，镇公所、乡公所一切供应，要摊五十多元。虽该各县地亩丈量步弓不大一样，约计种田十八九亩，一亩地平均每年产生粗粮二斗（高粱、豆、黍），细粮二斗（麦），如果出租的话，只得一半弱，换言之，在生产过程中，一切人工种籽消耗需要一半，今姑以二十亩计算，每年粗细粮总计各二十斗，假定以高价折计，麦子四元一斗，杂粮二元一斗，总计每年，总收为一百二十元。两月公家消耗已去一半，如中日战争一日不停，民间供应一日不止。胶东拥有二十亩的户头，已是小康之家，下此者更不堪设想。

老厨子见我躺在那里沉思，又想起新的资料：

听说蓬莱阁上，狐仙开会说大劫要到，
大仙们商量着，分头保护老百姓。

这一些可怜的黄帝子孙，得不到物质依傍，处处搜寻材料，以供他们精神上暂时的麻醉。

三　关东客

雨虽然不下，天色仍然是那样的阴沉，当当的钟响，据说这就是警报。敌人的飞机来了，两架飞机飞得很高很高，黄县的小孩子不知利害，大家吵着跑到街上看飞机。道路不好，烟潍路客车没有来，军用车也不开，又得雇骡子，渡过东关河，横穿过滦家海口，望见了老北山头。

蓬莱不比黄县，乱山极多，在黄县是十步踏不着一块石头。这里是一步十块石头。骡夫告诉我，如果脚下有了石头，不用问，那便是蓬莱县境。我一到蓬莱县先问问这里怎样，一些蓬莱人很安然的回答没事，听说前几天砣矶岛上去过一只兵舰，下去几个日本兵，搜检了一回岛上的小学校，调查有几眼井，几户人家，又有人说八角海口打了一炮。

蓬莱这座古城，古迹极多，也出了不少的名人。蓬莱人告诉我，唐太宗东征高丽，率领他的铁军薛仁贵一师从这里入海。明代的抗日将军戚继光，是蓬莱人。参加甲午战役，帮办北洋军务的四川提督宋庆，也在此地出生。在城里他们两个人都有牌坊。戚将军是路人称道，宋将军却渐渐被人忘记了。清末朝廷为宋将军建坊，坊上曾镌着八个字，是“忠心捧日，壮志凌云。”一些当地的顽皮秀才，因他在旅顺防次，师劳无功，把北洋的半扇大门，送给日本，把坊上每一句末，加上一个字，变成“忠心捧日本，壮志凌云烟”。

蓬莱城以外，还有一个水城，是旧日屯驻水师地方，这座城只有南北两个门，北门直通北海，土人呼之为关门口，门口里是一片软滩，潮来时船只可以驶进口里，以避风险。戚将军的防倭钢炮“镇海侯”就在这个关上，甲午冬打中了日本快舰吉野号，朝廷颁给黄色炮衣，当时士兵引以为荣。听说这是二将军，还有一位大将军镇老北山头，现在却炮去台空。沿海有极长一带沙岗，名“沙城”，上边还可以找到东倒西歪的一些废炮，亦为过去防倭的战斗工具。中日纠纷不自今日始，我们文明古老国家，人事是这样难于进展，令人感慨无穷！

我向往着《老残游记》上所描写的“蓬莱阁”，就在关门口的西北角上，花费了一个多钟头，上去跑了一圈。蓬莱阁在山下边看着极高，等登到它的极峰，又觉得是四围海山环抱。阁背有一面大石碣，横排着

“海不扬波”四个大字，甲午时候，被日本人把个“不”字打坏了，却成了个“海扬波”。

十七日傍晚到达烟台，烟台山下的几家客栈，都住满了客，柜房里坐的都是客人，我以为天津来了船，打听打听却是由大连来的“关东客”，下了三千多。我想从客人们口中知道一些北岸的消息，先问问茶房，茶房直摇头说，客人们都不肯讲，客气一点的说“没有事”，不客气的干脆来了个“不知道”，这样我自己当然也问不出来，说不定他们会疑惑我是便衣侦探，来查他们的汉奸。

今天早晨在汽车里，听到车上的乘客大家在嚷着汉奸，是过去一个在安东一家商店里当厨子的，有人给他写了一封黑信，告到他村里的警察派出所，说他是汉奸，派出所去捉他，在他家里又拘出一个人，还是新由大连来的。在他家里搜出什么赃证，只是这个厨子从前跟一个日本人照的一张相片，还有住在他家的那个人一些行李，里面有几件日本货。相片这个厨子供称是头八年在安东照的。住的人是他的一位舅爹，回家由此经过，问他为什么不报户口，他说他村里每家来了人，向来是不报户口的，并且户口一年也查不上一次。等传到邻长、闾长问话，邻长、闾长怕坏了公事，却把一个鳖画在厨子身上，说户口是天天查的。于是厨子同客人一并坐了监牢。邻舍间都晓得他是冤枉，因为他四五年没离开家，但是，大家都抱着多一事不如少一事，不敢保他。

胶东，这一角突出海面的半岛，决定他们不能每一个人蹲在家里，要去找另一个生发地带。他们能背着两匹土产茧绸，经过南满、北满、西比利亚铁路，跑到欧洲。日俄战争以后，满洲可以说是一座未经采摘的果园，闯进园门，触手都是果子，那时只要从北满买上一车大豆，装到南满的几个沿海港口，就有若干元的利润。他们踏出了地盘，东三省是他们殖民地。

自从“九·一八”事变以后，日本人忽来肃清他们，汇兑统制，生产统制，运销统制，他们起了恐慌。过去有一些财产的在那里动不了，没有财产的蹲不住，有时还来上一个“不稳”嫌疑。于是一批一批跑回山东老家。山海关、营口、安东、大连挂上了“闲人免进”的招牌，回来的又不能回去。

十八日上午在一家商号里，找到了一位新由南满回来的“关东客”。经主人给我们介绍，我们又谈了一个上午。

这位关东客，年纪不过四十多岁，明朗的目光，高高的鼻骨。他生在福山蓬莱交叉山坳里，他告诉我，他十五岁就闯关东，最初住的是粮栈，二次改了油坊。由扫粮、端饭盆升到大老板，十九年的苦干，的确抓了几十万资财。民国十六七年关东豆饼的海外市场断绝，代之而兴的是制造面粉；他不甘落后，因为自己对电机上是个外行，外国人雇不起，中国人找不到，花了新机器的价钱买了一盘旧粉机，又被一位日本二把刀的大车给毁了一下，存麦行市赔钱，借贷金票涨价，不到二年，几十万资本一扫而光。气得他打发儿子到日本东京高等工业学校去学电机工程，但是为时已晚，把自己剩下的几个钱整理一下，又同一位旧同事到大连去作“把市”，民国二十三年那位同事作了一批“多头”，翻位了盆，害脑溢血死了，连他的几个钱也光了。他指手划脚地告诉我“把市”的那样复杂，很有兴味地说他几年经历所得的一些技术问题。

主人约我们吃午饭，还邀了几位陪客，烟台买卖人的习惯，一到饭馆吃饭，就得叫“姑娘”。现在还有机会吃饭馆，“姑娘”自不能例外，于是参参差差的又来了半桌子“姑娘”。

这位关东客说话不少。他说英国人、美国人，在中国作生意要买办，外国人吃肉，中国人还可以喝汤。日本人是不要买办，连茶房自己一齐来。座中有人谈到烟台的大东公司，大东公司是过去的机关，他们发给一张入国证苦力才能上船。他又扯起了山东苦力在东三省生活情形，他说在东三省的山东苦力虽然一个月劳力所得，要比在山东好一些，好的一月总计在二十金圆左右，不过干过十年八年，回到山东，仍是光杆一个。大连码头上有一个福昌公司，那里每天差不多要有二万多人作工，老的不要，只要二三十岁的山东膀子。工人区里有戏园、妓馆、赌博场、消费社，白天那样的拿进钱来，夜里这样的送了出去。

四　登高丘望远海

约我吃午饭的那位朋友，下午还约我回头到他那里去站站（烟台的土话，坐坐的意思），拜见了朋友夫人。朋友夫人告诉了一阵她家大少爷这些日子的不听话，因为上月由北平跑回来他的一个小学同学，到济南去当了兵，于是他也要去当兵，希望我能劝一劝他。

由这家出来以后，踱到海边，登上了烟台山头。这个山，是明代的海防烽火瞭望台，西北是北岛，即芝罘岛，相传秦始皇曾到这个地方，东去烟台三百四十里的成山头，还有一个始王桥，突出海面，不知他修这座桥要到哪里去。这位不可一世的雄王，踏破了六国山河，修起了万里长城，还要跑到极东海峡，仰天长啸。

（十一月一日，烟台）

三个月来的济南

老　舍

我是八月十三日到了济南。城里能逃走的人已走了许多——据说有二十万左右。十四日，青岛紧张，于是青岛的人开始西来，到济南的自然不少。这时候，也正是平津的人往南逃亡的时候，有的本无处可归，便停在济南，有的在此住一住脚，再往别处去。专就流亡的学生说，由此经过的大概也有五六千之多。因此，济南虽已走去三分之一的居民，可是经这样一补充，便又热闹起来。此时节，沪战我军表现了惊动全世界的抵抗力，津浦线上的敌军也还未侵入山东，加以济南又来了这么多的人，所以由热闹而自信，大家便都打起精神操作。

就是在这种情形中，齐鲁大学于九月中旬开了课——我之所以来到济南者，原是预定好的在齐大教几点钟功课。

不幸，刚一开学，大同就失守了，紧跟着便是敌机差不多每天来济市侦察。人心又慌起来。到了九月底，这种恐慌渐渐转变为动摇，能逃走的人又坐立不安了。三十日，敌军攻入山东境界，而且极快的到了德县，要逃走的人开了闸：有的折回青岛，有的相信上海永不会陷落，买船南下；有的为一劳永逸，跑奔长安或四川。十月五日前后，全市的中小学全停了课，齐大也不敢再缓，唯恐把学生们都困在济南。

这样，八月初与十月初的两次迁逃，使济南差不多成了空城，只剩下那实在无法走或无处去的人了——我自己便是一个。

敌人攻下德县，谁知道，退不前进。于是，济南的人又喘了一口气。到了十月二十日那天，中央飞机五架由济空经过，飞得很低，人们更快活得不知怎样才好。但是，飞机过去了，消息依然沉闷憋气。过了两天，敌机开始在黄河铁桥左右投弹，随着轰炸的巨响，我们听到闸北与娘子关的失陷。等到太原失落，敌机便天天加紧的轰炸济南城北的沿河的各渡口。不用说，轰炸各渡口，是敌人截堵我军渡河北上，而敌军好往南来。果然，敌人的援军，自庆云南下，两三天的工夫攻下惠民与济阳；此时，济南的人抬头看，便看到城北的敌机，上下自如的轰炸着，而且耳中已听到炮声。不过，大家还不想动；前面说过了：能走的已于八月初与十月初走净，剩下的本是些要支持到底的。可是，十一月十五日午后五点钟，忽然城北震天裂地的响了三声，连城南住家的玻璃窗都震得哗哗的乱响，树上的秋叶也随着落如花雨。

三响过去，街上铺户一律上了门，人和疯狂了似的往车站上跑。大家以为这是敌人的重炮，其实只是炸毁了黄河铁桥。铁桥一炸，济南才真成了空城。

经友人的劝告，我也卷了铺盖；我原想始终不动，安心的写文章，我的抗敌武器只有一管笔。可这也就是友人们劝我走的理由：济南战时的报纸与刊物时常有我的文字，学生与文化界的集聚我时常出席，且有时候说些话；这样，日本人虽未见得认识我，可是汉奸或者不会轻易失掉这个表功买好的机会。济南是我第二老家，我曾在那里一气住过四年。没法不走了，可是！

铺户都上着门，路上的除去扛着东西疾走的，便是呆立路旁不知如何是好的；都不出声。天上有些薄云，路灯冷清清的照着这无声的城市。我到了车站。从车窗爬进车去，一天一夜才走到徐州，路上只吃了几个花生。

从一上车，我便默默的决定好：我必须回济南！济南将比我所认识的更美丽更尊严，当我回来的时候。逃亡激进了努力，奔往异地坚定下打回故乡！

过去三四个月抗战的成绩，在一方面明白的显露了我们的死里求生与弱而无畏的决心与正气，在另一方面可是也充分的摆出来我们的种种弱点与缺陷，有胜有败，有正有负，这正是事实的必然，不许任何人因一时的与局部的失败而灰心丧气。积弱的中国，现在是服了一剂猛药；非此药不能救亡，亦唯其因为服此药通身才必有急剧的变化，腐坏的地方必须死掉，新的组织才会发生；所谓“不死也要脱层皮”，此其时也。这剂猛药非吃下去不可，此层旧皮必须脱去！牺牲与困苦是不可免的，亦唯有大家甘心牺牲与受苦才会打破难关，变成个新人与新民族。

在这生死关头，真正爱国的人必须认清我们的长处，同时也必须承认我们的弱点。不知自家所长便失去自信，不承认自家所短便吃死亏；我们现在是既要坚决的自信必胜，还要有过必改，这才是求生之道。因此，假若我若是对抗战期间济南的种种批评得过于严厉一些，那一定不出于恶意的唱高调，而是善意的促起明眼人的觉悟。

先从军事上说，津浦线上的军事大概可以分作两个阶段，以德县失守为划界线。在德县失落以前，山东各处都布置了军队，而以津浦线上兵力为最强，因为这是抵御的正面，而其他各处还没有敌人的踪迹。那时候，津浦线上真可以说是大军云集，至少有十来万人。人数虽多，可是并无济于事，几天的工夫，沧州德县相继失陷。德县沦陷以后，十来万的人马都被调往别处，改由山东本省的军队接防。由此，津浦线上差不多便改攻为守，能守则守，不能守便后退，到十一月十四日一直退到黄河南岸。

津浦线上失败的原因，恐怕也就是北方各线失败的原因。在战事初发，各处，正像津浦线上，都是大军云集，平行的摆开。哪里知道，这样一层层的列阵而待，正好教敌人的炮火施威。我们的兵士真是勇敢，昼夜地等着杀日本鬼子。谁知道，他们只看见了敌机，只听到了大炮，敌机轰炸过后，紧跟着就是如雨的炮弹飞来，耳震聋，眼昏花，全无办法！大炮静寂，敌人的钢甲车与坦克车到了。看见我们人少，人家便包围扫射；看见我们人多，人家就直冲上来，如入无人之地。我们等杀鬼子已等得不耐烦了，可是鬼子到了，我们却没办法。

毛病是在没有坚固的防御工事，没有新式的器械，而大家挤在一块儿，任凭敌人的炮火楔打，更是致命伤。

毛病还不止于此。军队既是平行的列阵，一翼动摇则全线混乱，前线混乱则后线慌张，往往一个局部的小挫至使全线溃散。再说呢，大军云集就非有个总指挥不可，而军队部属系统与训练本极复杂歧异，彼此间的通信与联络又极不完密，往往一部分勇敢该退而不退，另一部分迟疑该进而不进，此进彼退，彼败此胜，结果吃了大亏。要调动如意，须先有好的训练，而我们的军队并不都有此预备。兵士，可以这么说，几乎都是勇敢的，可不都明白新的战法。有时他们勇气上来便迎着机关枪跑上去，死而无怨；有时他们也要等候命令，可是命令许不能及时的来到，以至白白地牺牲。况且，敌人的战术是专会利用突破一点的办法，而我们把队伍拉开，一点被冲破，则四面八方的队伍全被牵动。我们根本应当把有力军队放在最吃紧的地方，而使其他军队分散开去作游击战。这样才有伸缩，才能有攻也有守。可是我们没有这样想到。于是，以十万大军却失了沧州与德县。

德县失落以后，别的军队全被调走。由山东本省军队接防。接过防来，便马上利用游击战：正面安置守军，其余的绕到敌人侧翼与后方袭击，这不能不算个很大的进步。不过可惜呢，这时候的军队又太少了，而器械简直是一些老古董，所以游击战的部队得到胜利，正面的守军不敢上前线接应，及至敌人正面进攻，守军无法坚守。于是节节退败，一直退到黄河南岸。

但是，这些缺点并不能掩没了我们的军人的好处。枪械不良、不谙战术、调动不灵等等都不是军人本身的罪过，而是历年来有种种坏因素的当然结果。至于兵士，我敢说，差不多十分之九是忠勇可用的。给他们以良好的训练，给他们以精良的军械，给他们以能指挥的长官，给他们以近代战术的常识，他们无疑的必是世界上顶好的兵士。由和伤兵与撤退下来的军人的谈话，我看出下列的四点来，这四点使我坚信我们的兵士的本质是非常优良的：

（一）我看见了不知多少伤兵，他们怨骂救护的迟缓与不周到，他们抱怨军衣的单薄与饭食粗劣，可是，我没有听到一个人怨恨不该对日本打仗的。我曾听到知识阶级的人说：以我们的军力怎能抗日呢？军人自己却不这样想，他们受了那么大的苦处，只是对他们该得而得不到的照料与供给发些怨言；至于打日本，那是不成问题的。还有一些伤兵呢，被敌人打得连条毛毯也丢了，身上只剩下多少伤痕，却依然口无怨言，一心想伤好之后再去杀日本鬼子。我们还要他们怎样呢，这不就是顶好的兵么？

（二）伤兵和撤退下来的兵，不用说，是领略过敌人的炮火怎样厉害的了。可是，一问到他们这一层，他们只点头说炮火是真猛，而没有人说日本兵厉害。这显然是他们虽吃了亏，而并不害怕；他们似乎是说，我们要是有好枪重炮，日本兵连一个也活不了；即使没有好枪重炮，反正我们还是不怕！以二十九军说吧，最先吃着了敌人的苦头的是他们，可是在平津吃了亏，他们在津浦线上还是照样地打；津浦线上再吃了亏，又到平汉线上去，还是照样地打！这是何等的坚决伟大呢！可惜，一般人闻胜则喜，闻败则馁，只看报纸上胜败的消息，而不看我们的兵士的虽败犹荣。因为看不到这一层，所以我们只信军队无能，而忘了我们对军队所该供给与救护的责任。

（三）在前几年打内战的时候，兵士们只认识他们自己的长官，不知有中央政府与国家。这次，我常常听到兵士们谈讲蒋委员长。我看见几个伤兵要上火车，被宪兵阻住，他们不和宪兵说别的，只口口声声地说："就是蒋委员长的小汽车也要给我们坐的！"其实呢，这几位战士是来自边远的省份，恐怕在离省以前还不知道战场在哪里呢，可是他们现在心中已有了蒋委员长。还有一些伤兵告诉我说：假若他们一向是受中央军官的指挥，他们必定不会打了败仗的。这种信任中央与拥护委员长的精神，哼，恐怕还不是一般人所能作到的。这种心理才是真正民族复兴，精诚团结的好表示，暂时的失败有什么关系呢？

（四）这样忠勇的军人，可是，太缺乏常识。他们因作战的便利，往往不顾别人，而直爽粗鲁的对待平民。比如他们调来汽车应用，就只顾前跑，而不管汽车夫是否吃了饭，也不管汽车载重的限度与道路的好走与否。弄得汽车夫落泪，而兵士们连连的叫骂。有的人说军队搅扰人民，恐怕都是与此类似的事。在兵士们，以为战时一切无须体谅人民；在人民，特别是农民，以为战争只教他们吃亏，别无好处，这须极速的矫正过来，使兵士们体谅老百姓，使老百姓爱护军队。否则自相水火，还说什么军民合作呢？

总起来说，兵是好兵，毫无问题。我们应当设法帮助他们，救护他们，安慰他们，鼓励他们。现在的问题是兵士们好，而我们松懈；不是我们尽力，而兵士们泄气。看清楚这个吧！

有许多人不放心山东。是的，该担忧的地方确是不少，可是无须怀疑我们的战士。我们的军队不够用，这是真情；而敌人呢，却会在按兵不动之际散放流言，说什么政治解决与互相谅解等等的屁话。一看见我们的兵，这些流言就会立刻失去效用。不用怀疑谁吧，目前的问题是大家怎样合力的干，怎样帮助我们的战士去杀敌人。

说到济南的防空与其他防御的设备，那真有些缺憾。战前，不必说了。敌人来到了，还是瞪眼吃苦。防空呀，发发小册子，和在街头钉起几块小木牌:“避难所由此往南”，过去一看，原来南边只是块空地！此种防空的小木牌的价值正等于别种标语，处处是红纸绿纸，事事俱有格言，结果全是纸上谈兵，任何真事儿没有！从另一方面看，工厂停了，没人想利用那些机器材料改造军用品；工人散伙，没人去组织他们。商店关门，伙友四散，没人设法阻拦他们——多数是壮丁呀！几家稍微胆大一些的依然开市，自然不免取巧居奇，提高物价，苦了一班走不脱的老百姓。我不敢说政府当局完全没有爱民之心，而且他们的心理仍是爱民如子，只希望大家逃出危城，免吃炸弹；并没想到在全面抗战的期间，到处刀兵，逃到哪里也不安全。也没想到全面抗战必须军民合作，必须人人出力。既没想到这里，所以就生生地把民间的力量放弃。人民呢，既无事可作，怎不及早逃亡？逃到乡间，收入断绝，过两天就又跑回来，空费了许多路费。有的呢，恰好逃到战区，脚未立定又往城里跑，也许连铺盖也丢失了。逃来逃去，财物两空；只见火车上拥挤不堪，甚至把小孩子活活的挤死，此外别无好处。这是我们不必要的消耗，不知损失了多少民力财力！

在这种死寂的空气中，由北边来了不少的流亡教师与学生。他们刚自平津逃出，到了济南自然热泪交流，恨不能去吻那地上的尘土。自然的，他们也想在此作点什么，本着他们经历过的亡国之惨，想唤起民众同心御侮。本地的学生呢，看到这些生力军，亦无不欣然色喜，愿暂时放下书本，赶快作些救亡工作。可是，这死寂之城并不允许青年们有任何活动。三个月来，学生的工作只限于出些刊物和演演戏。

演戏的有两组，一组是省立剧院的学生，新旧剧都演，而且每周必演几次。另一组是平津流亡学生所组织的剧团，除在济南，也还到四乡去表演。戏剧，说真的，自然有它刺激与感动的功能；学生们的热心也大可钦佩。可是从一向以戏剧为“看着玩的”东西的老百姓来看，恐怕也不过依然是看着玩吧。至少可以这么说，戏剧只是救亡工作的一项，专凭它来支持一切是不行的；受了戏剧的感动，听到炮响还是一跑了事，假若没有比戏剧更硬更可靠的东西与主意交给他们。政治的力量或者大于文艺。

戏剧而外，他们也编唱大鼓书词，据说这是更有效力的东西。因此，在报纸上就有许多书词刊露出来，可是多数的是方块诗的变形，既不能入弦，词句又嫌太雅。大时代到了，大时代的文艺，不用说，必是以民间的言语道出民族死里求生的热情与共感，从事文艺创作的现在不但是要住脚在民间，还须学到民间的言语与民间文艺的形式与技巧。不然，便仍是费力不讨好，正如“五四”后文艺作品之与民众的全无关系。

刊物多借各报纸编发副刊，以诗为最多。独立的刊物很少，一来是因为大家没钱，二来是因为印刷工友的逃亡，无处去印。留日同学所办的东声，已出了三两期；现在不知还能继出与否。还有一种定名为“怒吼”的，直到我离开济南还未见印出。刊物，不论是独立的，或是附属在报纸的，都是供给都市民众的读物，力量恐难达到乡间，似乎就不如戏剧与大鼓书之能直接打到民众的耳中了。

除了演剧说书而外，教师与学生们也常常开会讨论目前的种种问题。问题讨论得不少，到会的人数也很多，可惜在实际活动上几乎处处受着限制，而一筹莫展！到如今，出个刊物还不能得到发行上应有的便利，别的就更不用说了。因此，有许多青年感到苦闷，而开始抱怨，抱怨过去的一切。据我看：救亡之责在人人肩上，当权的似乎不必再小心过虑，不容别人过问。民族团结，端在以诚相见，彼此扶助督励。在青年一方面呢，不当因目前的现象而责骂过去与现在的一切。反之，却当更加紧的工作，以工作换来同情，以真诚博得谅解。责骂过去只是悔恨，无益于目前与将来；怨恨别人只是宽恕了自己。我们今日所需是舍己从人，爱国还要受委屈。这样两下里一凑，希望便会来到；各不相让是大家一齐钻牛犄角。

流亡的学生多数转赴南京受训，我必须说，济南并没帮了他们多少忙。他们所得到的一点安慰与帮助，还是来自新闻界与教育界的人士，由这一点看来，无论是学生是教师，都应早组织起来，有个妥当的打算。临时找人帮忙是没有什么希望的。现在的事是必先自救，而后能救国，指着别人拉扯一把简直是幻想。我们组织起来，有一定的工作步骤，而后放在哪里便能马上干起活来，这才有用。

东拉西扯得不少了，暂且打住，有机会再写。

金门惨象

赵家欣

一般的形势

敌占金门后，闽南局势，顿形紧张，而尤以犄角相望同称闽南门户的厦门更感威胁。由于地理上的密切关系，敌将分兵五路进攻厦门，或由澳头进取泉州的风传，这几天甚嚣尘上。和金门隔海相望的莲河，且有失陷的传说。其实这不是眼光短视的推测，便是别有作用的造谣。因为泉厦和金门是有很大差别的，金门保安队只保自己和县长的安全，忠勇的壮丁队以旧式步枪尽了保卫金门的责任；终因子弹缺少，后援无继失败了。厦门虽和金门一样的孤处海中，一般情形都比金门好得多。厦门有胡里山、白石、磐石炮台之险，有抱与厦门共存亡的 ××× 师士兵足资保卫，敌人非至万分需要时，决不敢冒重大牺牲进攻厦门。至于泉州和厦门又不同了，在作战上我们有种种便利，××× 决不轻易让敌人踏进寸土。

金门就在眼前

敌机接连两度来扰，警报解除后，急忙赶到厦禾车站，泉厦车临时决定只开至五通，联票退回，搭客将已搬进车厢的行李再度搬运出去。车厢内寥寥几个人，坐得很舒适。对面一位搭客在路上打了一个长时间的瞌睡，到了五通，谁也不知道到澳头的轮船到底什么时候来。载我们来的客车另载一批金门逃来的难民回去了，暂时是只好逗留在五通。在五通渡头远望，那已被敌兵盘踞四天的金门就在眼前。烈屿紧紧地挤在它的身边，敌兵占据金门的第二天，便分兵进占了。几天来敌舰常常驶近五通港测量港道，极目远望，两条白色和一条灰色的敌舰停泊在金门附近。

一命配他一命

难民一批批从莲河澳头逃到五通，有的直接搭帆船冒风浪前来。在厦门难民已经有二三千人，金门轮船公司特地派员在五通等候安置难民。二十四日枪击敌兵的金门壮丁许体盘也在帮同照料一切。他很兴奋地谈起那天枪击敌兵情形，他说：二十四日早晨，敌兵驾小艇驶近水头海面测量港道，我们值班壮丁十二人，分伏在桥下四艘帆船中，每艘三人。

我们的第一响枪，站立船头一个敌兵应声倒下。敌船上的机关枪猛烈地向我们扫射，我们伏在船内还击，敌兵逃了以后，我们一个也没损失，只有一个壮丁，因为枪管太热，断了一个指头。第二天我因事到厦门来，却不料金门过天就被敌兵占了去。我家住在后埔，家里人都还没有出来，要是我在家就好了，和敌兵拼命，顶多是死，一命至少配他一命，不会亏本！而且为国牺牲，是多么光荣的事。听说壮丁队教官陈文照已向八十师要求派队收复金门，壮丁队愿作先锋，死也死在金门。

汉奸为虎作伥

我们正在兴奋地谈着，载难民的帆船又来了两艘，船内都是老头子、老太婆和妇女、小孩，壮丁除抗战死亡者外，尚有四五百名退守大嶝。一个小孩子惊奇地瞧着岸上每个人，偎依在妈妈怀里，悄悄地问道:“这里有没有日本兵？”母亲安慰他说:“这里是中国土地，没有日本兵，乖乖不要怕。”逃难的人，讲及金门的情形时，无不切齿痛恨那为虎作伥、数典忘祖的台湾人。这些汉奸的姓名他们都能道出，开照相馆的吴添寿，做医生的许廷芳、洪清旗和他的弟弟洪大山，他们乘机报复私怨，耀武扬威，真是不知羞耻。敌兵司令部设在金门公学，军队驻扎后埔、琼州、河尾三个地方，因为提防我国飞机袭击，屋顶都安设高射炮，听说他们预备建筑飞机场。

又试探港道

顺庆轮终于来了，从五通到澳头只有二十分钟海程。轮船向前行，金门和烈屿在视线中更扩大了。白色的敌舰，也显得更明晰了。其中一个船员说:“又在试探港道了！”我们的港湾，纵横着敌人的战舰，谁瞧了都会愤怒。船内许多人破口大骂“他妈的”。五通澳头海面，许多渔船冒险在找寻生路，他们被敌舰从港外赶到港内，现在，日本人又追到港内来，日本兵不赶跑，生活在大海中的人群只有饿毙。

澳头一切照旧

澳头是通同安、泉州的要道，也是福厦通车陆地上的最末一站，公路的衔接造成这乡镇的繁荣。它和比邻欧厝社同称为同安马巷区的最大乡镇。居民约一千一百人，出洋谋生的竟达三四百人。这乡镇的经济基础，可说全靠南洋汇款。近几天，敌舰常常在晚上驶进港口探测港道，早上飞机从这儿经过，向安海方面飞去。情形虽然紧张，一切却都照旧。连日由莲河或金门直趁帆船逃出来的难民，使这乡镇更显得热闹，福厦通车今天来得特别早。顺庆轮在起卸货物，等泉州来的最后一次车开到，然后开返五通。一辆最新式流线型汽车载着两个美国 ×× 从福州沿福厦公路驶来，车上覆盖着大幅美国旗，这使我想起了京沪道上被敌机扫射的许阁森大使。我们的天空，遍飞着敌人的飞机，平民惨被轰炸，连中立国人民的生命财产都不能有安全的保障。敌人的暴行，无怪全世界人士同声唾弃了！

金门成汉奸世界

顺庆轮内挤着七八十个金门难民，他们别离了家乡，舍弃了财产，从千辛万苦中拾到一条性命，带的仅是极简单的行李。有的在大山中躲避了三四日，没有饮食，没有睡觉，幸而逃得出来，一身之外，别无长物。被敌兵占据后的金门，已成为汉奸世界，台湾人耀武扬威，居然出面维持治安，出示安民，他们一面告诉百姓说：“你们大家要安居乐业，我们会把金门繁荣起来。”一面却在奸淫掳掠，大事残杀。他们一面大唱平等提携，一面强迫岛民向敌兵行礼，违者痛殴。金门岛之梧江小学校长张梦我，在省受训，接到电报，马上乘福厦汽车赶回，在难民群中打听他家里的消息。因为他曾做抗敌会宣传工作，日本人对他特别注意，他的一个养女已给敌兵惨杀了。他跺着脚，怀念尚未逃出的七十多岁的母亲。他说：“到这时候，还管得了家业，只要有人在，什么都有办法。”他很焦急，然而焦急有什么用呢？

敌机四出轰炸了

途中，先后听到敌机轰炸安海和江东桥的消息。敌人的欲望永无止境，在进攻金门军事尚未发动前，企图炸毁江东桥截断漳厦联络。炸毁安海五里桥，截断泉厦交通。这种企图，正足以显出敌人的心劳日拙。整个闽南已有铁桶般的军事布置，畏缩怕死的敌陆战队实不堪一击。并非我们自己夸大。所谓“皇军”，的确是不经打的纸老虎。这我们可从许多事实里寻出证明。

难民列车

踏上五通渡，天已黑了，难民由金门公司代表苏炳麟照料登陆，停在车站的客车只有两辆，一辆载福厦汽车搭客，一辆载泉厦联票搭客。车站人员忙着打电话到厦禾总站，总站答应开出客车三辆。这几天厦禾汽车公司载运难民，车票自动减收半价，顺庆轮也很给难民方便，票资多少并不计较。救济危难中的同胞，是大家应尽的责任。他们都认清了这一点，才这样的干。搭客们挤上车去，在二十多个座位的车厢挤了三十多人，呼吸感到有些重浊。四野渐渐昏黑下来，一片红霞却还残留在天的边际。我们的车将开行时，车站上还站立着一大批难民。当我们的车装好了行李，从厦门来的车已先后开到了，一列难民列车吐射着光芒穿行夜的禾山驶向到厦门的路去。

陷落时的金门

正　安

厦门，一向是被认为特殊的地方，日、台浪人的世界。自经中、日局势骤变，日、台侨撤退，国军进驻厦门后，这里已不是从前妖魔横行的时代了。

敌人的垂涎厦门，本不是一朝一夕的事。只要看它在厦积年的经营，就可以知道它底企图了。厦门港湾优良，容纳得下大量的军舰。南昌、杭州、广州，离厦门都不怎样远，空军去袭击这些地方，都要比从台湾起飞来得方便。同时取得厦门之后，和台湾可以结成一线，对于进攻华南，格外来得有力。所以它在厦门的布置，是煞费苦心的。但是这多年的苦心，却因为这次的不宣而战而拱手相让，当然他们是不会甘心的。日领高桥茂临别谈话，曾说三个月后再会；他们恋恋不肯舍掉厦门，于此可见。只因为上海、华北、广州战事吃紧，虽然它企图占厦门之心切，终于不得不暂时搁下。

果然在九月三日那天，敌舰、敌机先后光顾厦门。厦门的民众，一直是过惯了特殊的生活，这一次突变，当然只会增加他们的恐慌。所以在当时的人心，都很浮动，大小商店，实行闭市，搬家的更满路皆是。后来经过军政当局的努力，总算勉强平定下去。不想正在要恢复常态的现在，又爆发了这次的金门事件。

金门是厦门附近的一个小岛，周围有三十多里，居民殷富，因为是侨胞的故乡，从厦门到金门，差不多有十三多海里。小轮船走起来，只不过两小时便可到达。这里是从各地到厦门的必经的航路。十月二十四日晨八时，停在金门附近的敌舰，派出水兵二十余名，分乘五船，至金门后埔码头一带海面，测量港湾。驻在那地的壮丁队，看到这种情状，即向前制止；因为善意的劝告，没有效力，便实行开枪警告。水兵们全系徒手，当即仓皇间驾船逃逸。

经过了这种事实，敌人当然不会寂然无声的，果然在二十五日那天，金门附近陆续地到了敌舰十一只，当中还有一只航空母舰，明显地看出它是要采取积极的报复手段了。

二十六日早晨三时，住在厦门的人们，就听到炮声隆隆在响。自从“九三”以后，炮声为人所习惯了，所以当时并不觉到怎样有异。哪知道这就是金门脱离中华民国版图的时候！敌舰五艘，率领着小炮舰三艘，驶近金门、后埔、水头、古坑等乡海面。那时天方黎明，他们便先用探海灯向岸上照射，继即发炮射击。驻在金门担任拱卫责任的，并没有正式军队，防务建设，当然更谈不到，这时负抵抗责任的，便轮到县府保安队和壮丁队了。他们在守土有职的任务下，却尽了他们最大的努力，双方激战，近一小时，敌舰环攻，开炮达四五十发。敌机又出飞助战。在这种战争情势下，我方牺牲的重大，是可以想见的。不过我方壮丁队，并未因此而自馁，他们仍在竭他们最后的一滴血，来为我们的国土争光。卒至到了基本干部百余名，全数壮烈牺牲在敌人炮火之下，敌艇二三十艘，才踏入我们的国土——金门。在这里，我要特地大声疾呼，民众的自卫武装，同样是保我国土的力量，我们不能因为金门的失陷，而认为是民众武装的失败。当时的情况，可惜太纷乱了，不然的话，我想可歌可泣的壮烈牺牲的史迹，传播到每个同胞的，一定要比现在我们听到的详细得多了。

当壮丁队抵抗的时候，因为他们的器械，都是腐旧的，所以作战不久，枪管就灼热了，甚至有五指被灼断的。但是他们仍没有一人退后，卒至全部忠勇就义。这种壮烈情形，可与南口、宝山等役，同样地正义永垂万古而不朽。我方牺牲，固然如此重大，而敌军受到的打击，也比例地增加。所以在登上金门之后，便极端痛恨壮丁，按户抄索，遇有着军训制服，以及中山装的人，一律给以枪毙。金银财货、米面汽油，均搜劫一空。对于妇女，更竭尽侮辱的能事。在岛上蹂躏还不足，整批的青年妇女，还要被兽兵带回船上，奸淫作乐。爱国青年、公务人员，都是它最痛恨的人，连幼童都要受尸解的惨刑。总之，它在金门是竭尽屠杀的能事，已超出两国交战的正当行为，而成了海盗行为。我们对于强盗的办法，只有剿的一途，没有什么道理可讲的。

敌军登陆，系分队进行搜索，在金门做医生未撤退的台民，以及从前曾在金门开店的台湾人，现在都变成向导了。在向琼林、盘山各乡前进时，上面并以飞机辅助，散发荒谬传单。金门民众，连日从西园、官渔等地，驾乘帆船逃至莲河，转入内地的，络绎不绝。逃出虎口的被难同胞，那种凄惨状况，不是简单的几句，可以叙述得完。不过由于事实的教训，都切齿地痛恨倭寇的无人道、无理性、任意屠杀、任意奸淫、任意搜括，幻想着金钱可以买命的人们，该知道有所警惕了！

金门县长邝汉，自从“九三”敌机、敌舰骚扰厦市后，即四处躲避，没有一天在县府办公。月前复封金星轮，在船内办公，以备事急时易于逃脱。同时封民用帆船两艘，用以代替金星轮，来往金厦。所收船资，除船伙得其少数外，余均中饱。一方又收集民间枪械，县府人员、保安队、卫警，以及火夫，均一人数枪，民众稍有违犯，则指为汉奸，拘捕逮禁，而真汉奸反得逍遥法外。此次台医之引导日兵屠劫，即其明证。而民间武力，均被缴除，致倭兵来袭时，民众不能起而参加抗战。当敌舰大炮轰击时，县长乃急率县府人员，由保安队护卫，乘金星轮逃逸。民众有攀轮求载者，卫警竟以枪威吓。这是一个金门逃厦被难同胞的话，登载于廿九日本市《星光日报》上。从这段谈话上，我们感到在抗战期中，澄清吏治，是一个如何重要的事！因为我们这次抗战，是动员全民众，要全民众动员起来，首先就要地方当局，对于民众的认识，有一彻底的新观念。过去的怕民众起来，压民众下去，为自己打算，为地位着想，这样腐败的官僚主义，无论如何，是不容它存在。它的存在，就是中华民族解放的障碍！就拿金门这事来讲，在敌舰测量不遂被击走后，就应该提防敌人的再来，事前既没有一点准备，事发又不能竭所有的武力，发动全岛民众抗战，任令势力单薄的壮丁队和一部的保安队抵抗，致敌人易于得手，而厦、泉等地军队，援救不及！因此澄清吏治，加强民众武装抗战力量，实是刻不容缓的事。

金门的失陷，敌舰又增加到二十三艘，分布厦、金海面。二十八日晨九时许，曾有四艘开向厦门炮台方面而来，有进袭模样，在远处开发四炮，未有命中，即行退去。十一时许，又逡巡前来，仍向炮台开炮数发。炮台因伺敌舰驶近，当亦开炮还击，敌舰当即又行退出。同日七时许，敌机掩护敌舰，向我烈屿开始袭击行动。敌机散发传单，敌舰炮轰，连发四炮，青岐水警队即开枪还击，敌舰即转向青岐开炮五响。至九时十分，敌舰放下小艇，载贼兵约三百人，由罗厝鞍登陆，占我烈屿。其登陆时，由汉奸洪清其、洪大山兄弟二人及许廷等领路（这三位都是在金门行医的），登陆后便用飞机腾空离地二三丈，散发传单，一面贴出“安定人心告示”，并在罗厝鞍上破宫庙中演讲，强拉乡民往听。乡民畏之如蛇蝎，都纷纷逃避。我们知道金门是在厦门港口，烈屿是和厦门市禾山区隔海相对，在这两重威胁下的厦门动态，是值得注意的；它已由后方的地位，一变而成为国防的最前线了。

厦门在二十六日那天早晨，即开始遭到敌机空袭，投掷六弹，但均未命中。自此以后，每日都有警报，不过都没有在本市有所动作。只有一次是来散发传单，传单的内容，是不问可知了。正值记者写这封通讯时，警报已不断发了四五次了。

这两天居民迁移的风气，又高涨起来了。市面又黯淡下去了。整个厦市，笼罩着非常时期的空气。但是我们所能看到的，还只是局限在军事的动员，民众的准备，似乎只有三十六着，走为上计的打算。不过走了以后，又怎样？是不是一走能了呢？却是个极大的疑问。然而不走又怎样呢？又是个没有人回答出的问题。因此，这几天的厦门居民，有的打算出洋，有的打算去内地。我觉得走的也不是办法，不走也不是办法，我们要集体的留守，集体的退走，我们不能单单为着自己来打算，我们要以有计划的步骤，来处理这问题。我们要求得整个问题的解决，并不是一二人获得生存的问题。话谈太远了，暂且打住！

金门沦陷的前因后果

正　安

自从敌人进占金门后，向被认为国防后线的闽南，形势顿见紧张。基于这一新的转变，激起大家的注视，问题也都集中在考虑日本是否会有进攻闽南的企图这点了。

为要使大家对这问题有个明确的认识，记者想根据各方面的观察，先把这次金门失陷的原因，扼要地推论一下。

大家都知道我国的海岸线，迤延了好几省，在这遥远的领海中，分布着无数的岛屿。本来岛屿的功用，一般的是辟成海、空军根据地，供应军事上的给养，截断敌人的联络，侦察敌军的行动。掩护港湾，警卫内海，都可以按照地势的不同，而分别加以利用；但是，这里却有个重要条件存在，那就是海军的力量。有了海军，然后岛屿的安全，才有保障；有了海军，然后岛屿的效能，才能充分发挥。我国的海军建设，无可讳言的，是异常脆弱，利用岛屿的程度，根本还谈不上。何况在沿海岛屿必先放弃论调影响之下，造成大部岛屿，不谈国防的现象。金门从地势上看，是扼住闽南的咽喉，进出闽南的要道，和台湾遥遥相对，同西沙群岛，又是呵成一气。金门到了敌手以后，对于港、菲，固加强威胁的作用，而对于进攻海南岛，更多一凭依的要点。同时金门又是个不设防的地方，正合着它费最小的代价，得最大的效果的对华作战的基本原则。

我不否认在我们持久抗战过程上，沿海的岛屿，甚至于若干的城市，都有被侵占的可能。但是我认为决不能因了这种单纯的原因，而预先就存下放弃的心理。我们姑撇开这点不谈，即便认定撤退，是再正当也没有的步骤。然而在事先也该有个布置才对，决不能听其自然，等事实演到眼前，才来仓皇地找应付方法：退没有退的打算，守没有守的准备，好像开了大门，请强盗进来。强盗本无此心，看了这样景况，也会感到却之不恭而只好受之有愧了。就拿金门来说，如果认为用军队来守，是不值得的话，也可以动员金门全民众，加以有组织的训练，普遍地武装起来，让他们在爱家乡、爱国家两重观念督促之下，明白了被敌人蹂躏而死，是及不到为保卫祖国而牺牲来得光荣。即使武力不够，同样是沦陷，但是决不会像现在这样的容易；而敌人所付出的代价，也不会像现在这样的微小。并且敌人在动手之前，还要估计一下：占领金门，所得是否能偿所失，假使算盘合不来，它决不会这样的轻动，蒙受无谓的损失。

日本这次造成的金门事件，决不是出于偶然的行动，但它是否会进占闽南呢？我的意见是这样：日本这次对我们发动的侵略战争，主要的目的，是在囊括整个华北。按照田中政策，征服支那，必先征服华北，华北一失，中国对日抗战力量，是会受到相当影响。为着要在最短期内，达到它的理想，所以在上海爆发战争，来牵制我国的主力北上，在广州大事轰炸，来断绝国际援我的路线，向南京大举空袭，冀动摇抗战中的政治机构，向各地四出骚扰，期摧毁作战基础的经济和交通，种种行动，归纳来讲，无非想完成它在华北战事速战速决的方策。但这并不是机械地说日本对华侵略的野心，只局限在华北而不是整个中国；我不过就缓急的意义上，来谈日本在现阶段，是着重在取得华北，当然在这一过程上，它随时随地不会放松任何于它有利的形势。任何可以打击中国抗战的策略。我承认日本对福建，早就虎视眈眈了，尤其是闽南的厦门，更是它积极猎取的对象。但是照目前形势估计，日本对于闽南，至多只有进一步地来骚扰，而不会用大规模的实力，来实行进攻的。理由很明显，日本对于闽南，虽具有同样图谋的野心，但在目前却有更急切的任务，迫得它不得不暂时对闽南，采取威胁监视的态度。在华北，在上海，在北满，哪一处不比闽南的地位来得重要？它在应付这几处的战事设备上，已感到喘不过气来。还有余力来闽南，再发动一处大规模的侵略战吗？并且闽南的防务，也都有相当的准备，并不是都像金门那样的不设防。它在没有动手之前，也是会考虑到付出代价是否能够收回这问题的。但是我们主观上，却不能固守着这种成见，而漠视我们应有的准备。只有我们时时准备用铁和血和敌人死拼，只有使全民众都被组成战斗员，才是戢杀敌人凶焰，消灭敌人野心的正当途径，有力的保障。

敌人自占领金门后，即开始布置防守设备，在岛上设立司令部，建立无线电台，开辟飞机场，沿官澳至后埔公路（约长二十五里）及琼林一带金厦公学附近开掘战壕，埋藏地雷，以防我军的反攻。并数度出示安民，声述渔者仍渔，商者仍商，耕者仍耕，大家安居乐业，实现平等提携的荒谬意旨。但是事实怎样呢？强迫岛民建筑工事，而由日兵监视着进行，不从者就格杀论罪。遇见日兵，岛民必对其行礼，不从者即痛加殴击。每户居民出口，必须贴上用白纸中绘红日的象征日国旗，表示欢迎皇军到临，不贴者死罪。强迫人民开市，使用伪钞，但日兵则予取予求，稍有不遂，又是大祸临头。在二号那天，强迫岛上未退走的居民，召开居民大会，通过下列各案：（一）米商存米，应贱价出售，每七角半可购十六斤。（二）

市秤改制，一斤只作数两计算。（三）尽量推销日货。（四）规定通行时间。（五）入夜不许闭门。同时开始施展它的故技，即一面假装民意，制造民意；一面玩它的傀儡把戏，所谓治安维持会者，也在积极进行粉墨登场中。主角想拉前金门的商会会长王基，闻王坚持不就，原定昨（四日）在岛上再召开居民大会，由大会产生这傀儡机关，但到会人数寥寥，该会是否成立，现尚未探明。

日军在金门的人数，是倏忽不定的，他们时而登陆，时而下舰，入晚警戒，更是提心吊胆，四出放哨。每一哨兵，必携带灯火照明前进，以防遭我民众的袭击。看见草堆，必先用刺刀大刺特刺，才敢放胆过去。听到狗吠，哨兵们都集在一处，等到静下来，再分散开去。看见乡民，用手写广东兵三字，表示询问此地有无广东军队。

金门目前也有所谓警察自卫队，其中的分子，系由无赖、囚徒混合而成，昨已开始执行工作，衣服一如常人，不过臂上多一布条，手中多一木棍而已。每人每星期二元半，经费的来源，是由加征杀猪、鱼税，规定每杀一猪须缴税一元，鱼则以价值抽征。

我觉得我们该重视金门这次所经过的历史，假如我们不从这事件中来领取我们应学习的教训，也许像这种历史，会不断地扩大的演变下去。第一，我们得知道金门在我们手里，是个无名的小岛，但是经过大家加工以后，也会变成活岛；况且金门和闽南的关系，终属太密切了，政治上、军事上的威胁，固然不用说，单在经济上，就够注意了。敌人过去在闽南的走私网，和它那种所用的手段，是任何人皆知的事实。它现在在闽南，又获到一个新的根据地，它一定会利用金门和闽南的联系，建立起仇货的大本营，复活它过去的特殊贸易的机构，向我们残破的经济壁垒，大规模地进攻，吸我们的油髓，来添补它侵略的资料。

第二，我始终认为我们的军队，是主张焦土政策，做民众的我们，是该在攻、守、退三方面，都配合着焦土政策，而施行适当的运动。不要让军队喊焦土，不论是进攻，不论是退守，都得有计划的有组织的，有了计划，有了组织，然后民众和军队，在攻的方面，才能全体动员，各尽其能，各竭其力，做侦奸、救护、构筑工事、维持交通、管理运输等战时服务，融合一体，从事于抗敌工作。在退的方面，才能有条不紊，按照预定的计划，破坏一切可以资敌的工具，迁移一切抗敌必需的资源，分别妇、孺、老、壮，逐步地向着安全地带集中，决不致留下大批的壮丁，及有助作战的材料，被敌人拿去，用我们的壮丁，来筑御我的工事，用我们的材料，来作侵我的武器！

第三，我们要知道敌人虽然做强盗的勾当，夺占我们的土地，杀死我们的同胞，强抢了我们的财富，奸淫我们的女同胞，但是它仍然要假造民意，来掩饰它底罪恶，用欺骗的手段，来软化民众的反抗。对于民众，更是百般的提防，就是它认为可资利用的无赖汉奸，仍旧是手无寸铁，可以充分地证明民众的力量，是如何的伟大。发展民众组织，“动员全民众抗敌，是如何急切的事啊！我们要生，我们要活，我们就得起来，健全我们的组织。”从坚强的组织，产生出伟大的力量，来赶走日本帝国主义，滚出中华民国的国境以外！

二十六、十一、五，厦门

三联经典文库第二辑简目

《游击战教程》　明凡 / 著

《游击战术纲要》　陶剑青 / 编著

《汪精卫卖国的理论与实践》　钱俊瑞 / 著

《抗战以来》　韬奋 / 著

《陕行纪实》　楚云 / 著

《随军散记》　沙汀 / 著

《被日寇囚系半载记》　王研石 / 著

《倭营历险记》　房沧浪 / 著

《活跃的新西北》　田影 / 编著

《保卫华北的游击战》　刘清扬　陈北鸥等 / 著

《徐州突围》　《徐州突围》编委会 / 编

《沦亡的平津》　长江　小方等 / 著

《淞沪火线上》　胡兰畦等 / 著

《瞻回东战场》　长江　罗平 / 著

《东线的撤退》　胡兰畦等 / 著

《抗战中的西北》　徐盈 / 著

《鲁闽风云》　徐盈等 / 著

《西线生活》　西北战地服务团集体创作

《中国解放区见闻》　［美］福尔曼著 / 朱进译

《全面抗战论》　潘汉年 / 著

《日本的间谍》　范士白自述 / 尊闻译

《日本大陆政策的真面目》　国难资料编辑社 / 编

《民众动员论》　李公朴 / 著

《中国外交史》　钱亦石 / 编著

《太平洋军事地理》　蒋震华 / 著

《世界经济地理讲话》　思慕 / 著

《列强军力论》　［德］马克斯 · 威纳尔著 / 宾符　仲持　梅益等译

《近代国际关系史》　张铁生 / 著

《太平洋现势手册》　沈志远　石啸冲 / 编著

《近代世界政治史》　钱亦石 / 著

《从战争到和平——一九四五年的世界政治》　乔木 / 著

《战后日本问题》　思慕 / 著

《最近一年间的国际动态（1946.7–1947.6）》　《东北日报》社 / 编

《论政党》　翟放 / 著

《法与宪法》　韩幽桐 / 编著

《中华民国宪法刍议》　罗家衡 / 著

《民主 · 宪法 · 人权——作之民》　费孝通 / 著

《宪法论初步》　潘念之 / 著

《对反民主的抗争》　韬奋 / 著

《农村改进的理论与实际》　江恒源 / 著

《上海产业与上海职工》(上下)　　朱邦兴　胡林阁　徐声 / 合编

《陶行知教育论文选辑》　　陶行知著 / 方与严编

《中国通货膨胀论》　　杨培新 / 著

《中国及其未完成的革命》　　H·普拉特著 / 蒋天佐译

《中国的建设问题与人的训练》　　卢作孚 / 著

《论中国特殊性及其他》　　艾思奇 / 著

《中国经济问题讲话》　　钱俊瑞　徐雪寒　王渔邨　姜君辰　骆耕漠 / 合著

《中国经济的道路》　　许涤新 / 著

《中国财政之病态及其批判》　　孙怀仁 / 著

《官僚资本论》　　许涤新 / 著

《五四运动之史的评价》　　陈端志 / 著

《中国通史简编》(上下)　　中国历史研究会　范文澜 / 主编

《论文学的工农兵方向——读〈在延安文艺座谈会上的讲话〉》　雪苇 / 著

《中国近代史(上编　第一分册)》　　武波 / 编著

《文学百题》　　傅东华 / 编

《中国史学之进化》　　周谷城 / 著

《论民族形式问题》　　胡风 / 著

《论批评》　　荃麟等 / 著

《中国史纲》(第一卷上下、第二卷上下)　　翦伯赞 / 著

《近代中国思想学说史》(1–4)　　侯外庐 / 著

《中国政治思想史》(上下)　吕振羽 / 著

《中国哲学史纲要》　向林冰 / 著

《中国政治史讲话》　钱亦石 / 著

《中国社会经济史纲》　王渔邨 / 著

《新财政学大纲》　千家驹 / 著

《太平天国革命运动论文集——金田起义百周年纪念》

华北大学历史研究室 / 编

《理性与自由——文化思想批评论文集》　胡绳 / 著

《战斗者的诗人》　黄药眠 / 著

《国语文法》　曹朴 / 著

《教育哲学》　张栗原 / 著

《妇女问题讲话》　杜君慧 / 著

《婚姻 · 子女 · 继承》　沙千里 / 著

《性教育新论》　布士克　雅各生合著 / 董秋斯译

《狱中杂感》　杜重远 / 著

《七人之狱》　沙千里 / 著

《爱迪生传》　伍况甫 / 译

《歌德自传》(上下)　歌德著 / 思慕译

《尼赫鲁自传》　[印度] 尼赫鲁著 / 毕来译

《列宁传》　[苏] 凯尔任采夫著 / 企程　朔望译

《罗斯福总统传》　C. Mackenzie 著 / 张尚之译

《托尔斯泰传》(1–3)　[英] 阿尔麦 · 莫德著 / 徐迟译

《革命文豪高尔基》　［美］亚历山大・康恩著 / 韬奋编译

《鲁迅纪念特辑》　新中国文艺社 / 编

《回忆鲁迅先生》　萧红 / 著

《人民文豪鲁迅》　平心 / 著

《亡友鲁迅印象记》　许寿裳 / 著

《鲁迅思想研究》　何干之 / 著

《鲁迅研究》　夏征农 / 编

《过来的时代：鲁迅论及其他》　雪峰 / 著

《电影戏剧表演术》　洪深 / 著

《日常心理漫谈》　［美］约瑟夫・查斯特罗著 / 曾宝葹译

《心理常识漫话》　朱智贤　杨云美 / 著

《读书的方法与经验》　王任叔 / 著

《美国黑人生活纪实》　［美］加德维尔　斯坦倍克著 / 董秋斯译

《初访美国》　费孝通 / 著

《事业与成功》　［美］马尔腾著 / 汪原放译

《萍踪寄语（初集）》　韬奋 / 著

《一生的幸福前途——〈生活周刊〉信箱选集》　生活书店 / 编选

《深刻的印象》　生活周刊社 / 编

《海外的感受》　生活书店编译所 / 编

ISBN 978-7-108-04649-9

9 787108 046499 >

定价：14.00元